キュウリ さいばいカレンダー

4月の中ごろから5月のはじめくらいまでに、
なえをうえると、6月には、
みずみずしいキュウリのみがしゅうかくできるよ。

	4月	5月	6月	7月
さぎょう	←‥‥なえうえ‥‥→ つぼみができる / 追肥 / 花がさく / みが大きくなる			
日当たり	☀ ☀ ☀	☀ ☀ ☀	☀ ☀ ☀	☀ ☀ ☀
水やり	💧 💧 💧	💧 💧 💧	💧 💧 💧	💧 💧 💧
肥料		⦿ ⦿ ⦿	⦿ ⦿ ⦿	⦿ ⦿ ⦿

※日当たり、水やり、肥料は、月ごとの目安。やりすぎにちゅうい。
※しっかりせわをして、そだてつづけると、
8月のおわりごろまでみをしゅうかくすることができるよ。

学校でそだててかんさつ 夏やさい

キュウリをつくろう！

監修 筑波大学附属小学校教諭 青山由紀／鷲見辰美

あかね書房

はじめに

　サラダには、かならずといっていいほど入っているキュウリ。みは知っていますが、キュウリのはっぱって、どんな形なのかな。たねからそだてるのかな。どのようにそだつのかな。知らないことがいっぱいですね。自分でそだててみると、ぐんぐん大きくなっていくみに、おどろくことでしょう。

　この本では、キュウリをそだてる時のアドバイスや気をつけてほしいことを、写真や絵をつかって、わかりやすくまとめました。これをさんこうに、ぜひキュウリをそだててください。自分でそだてた野菜は、とくべつおいしくかんじますよ。

筑波大学附属小学校教諭　青山由紀・鷲見辰美

この本の見方

この本では、キュウリをじょうずにそだてて、かんさつをするためのやり方を、しょうかいしているよ。

なえをうえてからたった日数
キュウリのしゅるいや、そだてる地いきによって、成長の早さはちがうから、目安にしてね。

キュウリの写真
キュウリが成長して、ようすがかわったところを、大きな写真でしょうかいしているよ。

キュウリの高さ
キュウリが、どのくらいの高さまでのびているかわかるよ。きせつや、なえのしゅるいによって、高さはかわるから、目安にしよう。

かんさつポイント
どんなことにちゅうもくして、かんさつをすればいいかがわかるよ。

ちゅうい
キュウリをそだてる時に気をつけたいことをしょうかいしているよ。

もっと知りたい・やってみよう
キュウリについて、知っておきたいことや、ためしてみたいことをしょうかいしているよ。

かんさつカードのかき方を知りたい時や、虫がついたり、病気になったりしてこまった時は、32〜38ページのさいばい・かんさつ　おたすけ資料を見てみよう。

もくじ

キュウリって、こんなやさい!! ……4
さいばいをはじめる前のじゅんび ……6
さいばいしよう① なえをうえよう ……8
さいばいしよう② 支柱を立てよう ……12
さいばいしよう③ つぼみができた！ ……14
　🔍さらにかんさつ！ 花がさくまでを見てみよう！ ……15
さいばいしよう④ つぎつぎと花がさいたよ ……16
　🔍さらにかんさつ！ 花の中を見てみよう！ ……17
　🧨もっと知りたい キュウリのみのひみつ ……17
さいばいしよう⑤ みが大きくなってきた ……18
　🪧やってみよう はっぱやつるを切って、元気にそだてよう ……19
さいばいしよう⑥ みをしゅうかくしよう ……20
　🧨もっと知りたい どうしてとげがあるの？ ……21
さいばいしよう⑦ しゅうかくせずにそだてたみは ……22
　🧨もっと知りたい 熟しているみと熟していないみ ……23
くわしくかんさつ！ みの中はどうなっているのかな ……24
　🪧やってみよう たねをとりだしてみよう ……25
キュウリ新聞をつくろう！ ……26
キュウリのまめちしき ……30

さいばい・かんさつ　おたすけ資料

かんさつカードのかき方をマスターしよう ……32
キュウリさいばいトラブル 虫や鳥に食べられた！ ……34
キュウリさいばいトラブル 病気になった・うまくそだたない ……36
キュウリさいばい Q&A ……38

さくいん ……39

キュウリって、こんなやさい!!

お買いものに行った時に、キュウリを買ったことがあるかな。
1本ずつばらばらか、ふくろに2〜3本入って売っているね。
1年中買えるけれど、キュウリは夏にみがなる夏やさいなんだ。

夏のあつさにまけず、ぐんぐんそだつよ!!

キュウリといっても、しゅるいはいろいろ。とげが多いもの、少ないもの、長いもの、みじかいもの。こながふいたようになっているものもある。

とげがない
とげが多い
小さくてみじかい
太くてみじかい

キュウリ

これくらい高くなるの!?

キュウリはつるをのばして、どんどんのびていくしょくぶつだ。1年生の時にそだてたあさがおも、つるをのばすしょくぶつだったね。

あさがお

キュウリは、あさがおよりも、もっともっとのびる。きみのせよりもずっと高くのびていくんだよ。だから、大きなプランターでそだてるよ。この本では、2つのなえをプランターにうえて、そだててみるよ！

さっそく、なえをうえてみよう！

さいばいをはじめる前の
じゅんび

どんなものを
つかうのかな。
たしかめておこう。

よういするもの

プランター
土が25リットルくらい入る、大きなプランター。

キュウリのなえ
たねからめが出て、少しそだったもの。

土

ばいよう土
肥料が入った土。えいようたっぷり。

ふよう土
かれたはっぱからできた土。

ペットボトルじょうろ
水やりにつかうよ。

スコップ
土をすくってプランターに入れるよ。

肥料

やさい用の肥料をよういしよう。

支柱
長さは120cmくらい。キュウリのくきをささえるよ。

はりがね
支柱とくきをむすぶよ。

さいばいしよう 1

1日目 なえをうえよう

はじめにキュウリのなえを見てみよう。はっぱの形やくきの手ざわりなど、どんなとくちょうがあるかな。

見てみよう
はっぱのふちの形はどうなっているかな。

かいでみよう
はっぱは、どんなにおいがするかな？

見てみよう
ほかとはちがう形のはっぱだね。これは、たねからさいしょに出たはっぱで、子葉というよ。

さわってみよう
くきには小さなとげがはえている。どんな手ざわりかな。

かんさつカードをかこう

かんさつしたことは、すぐにカードにかきこむようにしよう。かき方のヒントは 32 ページにもあるよ。

キュウリのなえにあつまってくる生きものも、かんさつしてみてね。

ハチ　アブラムシ　鳥(とり)

かんさつカード

のかんさつ　　自分の名前(じぶんなまえ)

月　日（　）天気

そだてているものの名前(なまえ)

タイトル
キュウリのなえはどんなようすだったかな。一言(ひとこと)であらわそう。

かんさつイラスト
かんさつしたところを絵(え)でかくよ。とくにじっくりと見(み)たところを、大(おお)きく細(こま)かくかいてみよう。

かんさつ文(ぶん)
かんさつしたことを文(ぶん)しょうでかくよ。まずはかきたいことをメモしてから、文(ぶん)しょうを考(かんが)えるといいよ。

かけたかんさつカードのはしをつなげると、キュウリがどうやって成長(せいちょう)したか一目(ひとめ)でわかるよ。

なえうえの手順

1 プランターに土を少し入れる

スコップでプランターに土を入れよう。ばいよう土を3ばい、ふよう土を2はいの配分で入れよう。

土のりょうの目安

プランターの中になえのポットをおいてみて、プランターのふちから、なえのポットの土までが、5cmほど空いているか、たしかめよう。

2 なえをポットからとりだす

ポットを左手にもってかたむける。右手はなえのねもとにそえるよ。ポットのそこを少しおしたら、なえが出てくるよ。

左手でポットのそこを少しおそう。

ポット

とれた！

ちゅうい

くきを引っぱらないようにしよう。一人ではむずかしい時は、二人でやってみよう。

白いねが見えるね！土ごとうえるんだって！

3 もっと土を入れる

なえをおいたら、ねが見えなくなるまで、土を入れよう。プランターになえを2つうえる時は、間を20cmくらい空けよう。

4 水をやる

土をかぶせたら、水をやろう。プランターの下から水が出てくるまでやるよ。キュウリは水が大すき。まい日朝10時くらいまでに水をやり、夕方にもやろう。

はっぱではなく、土にかけてね。

できあがり！

うえたばかりのなえは、しおれているように見えるけれど、しっかり水やりをして日に当てれば、元気になるよ。

さいばいしよう ②

2週目 支柱を立てよう

つるが、まきつけるところをさがしてのびはじめた！
ぐんぐん大きくそだつように、支柱を立てよう。

見てみよう
なえの時とくらべて、はっぱの大きさは、かわったかな？

見てみよう
支柱を見つけたつるは、どうなっているのかな。

支柱 ——

まきつくところをさがしているつる。

高さ 40〜50cm くらい

支柱の立て方

1 支柱を土にさしこむ

キュウリは高くのびるから、支柱は120cmくらいの長さのものをつかうんだ。キュウリのねをきずつけないようにちゅういして、プランターのそこまでさしこもう。

2 支柱とくきをむすぶ

支柱とキュウリのくきを、ひもやはりがねでむすびつけよう。右の絵のように、8の字でむすんでみよう。

①くきにはりがねをかける。

②くきと支柱の間で2、3回ねじる。

③先をひねってとめる。

できあがり

くきをしめつけないようにするために、ゆるくむすぶんだって。支柱をこうささせる立て方もあるよ。

13

さいばいしよう ③

3週目 つぼみができた！

キュウリの花は2しゅるいあるから、よく見てみよう。
かたほうのつぼみの下に、なにかついているね。これはみなんだ。

高さ 60〜70cm くらい

見てみよう
つぼみが2つならんでついているよ。それぞれどんなようすかな。

さわってみよう
上のつぼみとちがって、下にみがついているよ。どんな手ざわりかな。

おいしいみにするには

追肥（肥料をたすこと）をしよう

このころになると、土にもともと入っていたえいようがへってくる。ねもとからはなれた土の上に、正しいりょうの肥料をまこう。水をやると、肥料がとけて土にまざるよ。キュウリの追肥は2週間おきにしよう。

さらにかんさつ！ 花がさくまでを見てみよう！

キュウリの花は、「おばな」と「めばな」の2しゅるいがあるよ。おばなにはたねをつくるもとが入っていて、めばなの下には小さな赤ちゃんキュウリがついているんだ。めばながさくまでを見てみよう。

おばなのつぼみ

めばなのつぼみ

がく

がくがひらいてきて……

黄色い花びらもひらいてきて……

さいた！

さいばいしよう 4

3〜4週目 つぎつぎと花がさいたよ

つぼみがどんどんひらいたよ。めばなのねもとにある
キュウリの赤ちゃんのようすを見てみよう。

高さ 80〜90cmくらい

見てみよう
赤ちゃんキュウリの大きさは、どうかわったかな？

さらにかんさつ！ 花の中を見てみよう！

花の中には、たねをつくるための大切なものが入っているんだ。

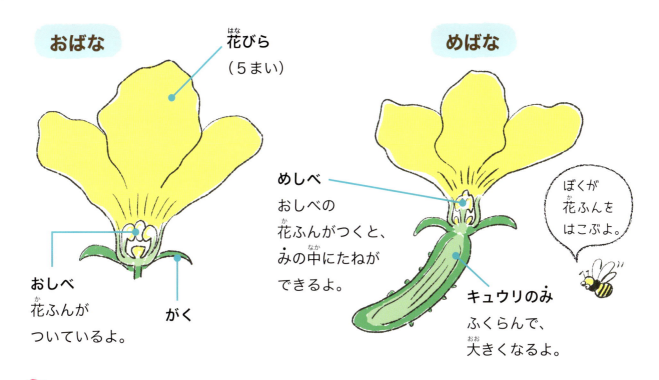

おばな
- 花びら（5まい）
- おしべ：花ふんがついているよ。
- がく

めばな
- めしべ：おしべの花ふんがつくと、みの中にたねができるよ。
- キュウリのみ：ふくらんで、大きくなるよ。

「ぼくが花ふんをはこぶよ。」

もっと知りたい キュウリのみのひみつ

しょくぶつの多くは、花ふんがめしべにつくことで、みができて、たねができるけれど、キュウリはちがうんだ。花ふんがめしべにつかなくても、みがはじめからめばなのねもとにあって、どんどん大きくなっていくよ。そうしてそだったみの中にもたねは入っているけれど、そのたねからはめは出ないんだ。カキやバナナ、ブドウも、キュウリと同じとくちょうがあるよ。

虫などに花ふんをはこんでもらえれば、めの出るたねができる。

さいばいしよう 5

4〜5週目　みが大きくなってきた

花がかれて、みが大きくそだってきたよ。
たけもどんどんのびてきて、支柱の高さまできたよ。

さ わってみよう
赤ちゃんキュウリのころとくらべて、みの手ざわりはかわったかな？

見 てみよう
みの先についている花は、どうなっているかな。

高さ 90〜100cmくらい

キュウリの成長をとめよう

キュウリのつるは、どんどんのびるから、みにしっかりえいようがとどくように、成長をとめてしまうよ。支柱をこえたら、つるの先を手で切ろう。自分のせよりも高くのびている時には、大人にやってもらおう。

先のぶぶん
ここで切る
支柱

やってみよう
はっぱやつるを切って、元気にそだてよう

はっぱがたくさんしげると、風通しがわるくなって、病気になってしまうこともあるよ。もし、きみがそだてているキュウリが、はっぱだらけになっていたら、少し切ってへらそう。絵のようにはっぱを2まいのこして切ると、はっぱがこみあわず、風通しがよくなるよ。

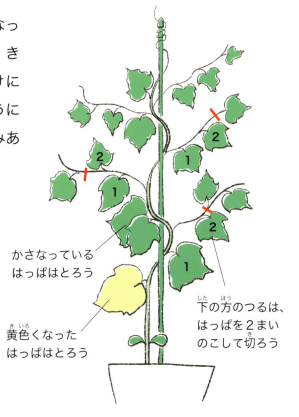

かさなっているはっぱはとろう
黄色くなったはっぱはとろう
下の方のつるは、はっぱを2まいのこして切ろう

切ったはっぱは、プランターの中にすてると、病気のげんいんになることがあるよ。

ゴミばこへすてよう！

さいばいしよう ⑥

5〜6週目 みをしゅうかくしよう

みが、こいみどり色になって売っているものとかわらないくらい大きくなったよ！　さっそくしゅうかくしてみよう！

見てみよう
赤ちゃんキュウリの時についていたとげ。今はどうなっている？

見てみよう
みの長さはどれくらい？はかってみよう。

見てみよう
花はまだついているかな。ついている花は、どんなようすかな。

高さ100cmくらい

しゅうかくのポイント

朝にしゅうかくしよう

キュウリは、昼のうちにつくったえいようを、夜に体のすみずみまではこぶんだ。みにもえいようがたくわえられているから、朝すぐにしゅうかくすると、みずみずしくて、おいしいキュウリのみがとれるんだ。

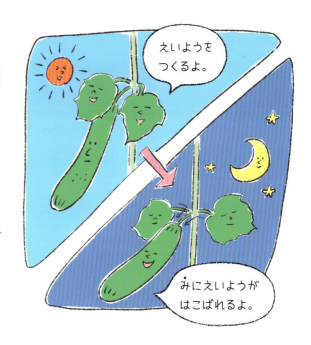

はさみで切ってしゅうかくしよう

キュウリをしゅうかくする時は、はさみをつかおう。くきのぶぶんを切ってしゅうかくするよ。

 ちゅうい

きれいなはさみをつかう

切り口からばいきんが入ってしまうから、はさみはあらってからつかおう。

 もっと知りたい

どうしてとげがあるの？

しゅうかくの時に、くきをぎゅっとにぎったら、「いたっ、とげがささった！」なんてこともあるね。とげはみにもついている。とげがあることで、たねができる前にどうぶつに食べられにくくなるからだと考えられているよ。

きゅうりのとげ

さいばいしよう 7

7〜8週目 しゅうかくせずにそだてたみは……

キュウリのみをそのままにしておくと、とても大きくなった！
おもたくて、地めんまで下がってきてしまったよ。

見てみよう
みの色は、どうかわっていくかな。

さわってみよう
とげはどうなっていくかな。

高さ 100cmくらい

さらにそだてると……

そのままそだてると、さらに大きくなって、みが黄色にかわった。どんどん大きくなって、ついにおれてしまったよ。切り口から大きなたねが見えているね。

とげはなくなって、すべすべになっていたよ。

すべすべ〜

もっと知りたい　熟しているみと熟していないみ

しょくぶつのみが、じゅうぶんに成長することを、「熟す」というよ。熟すと、大きくなったり、色がかわったりする。たとえば、トマトは熟したみを食べるやさいだよ。キュウリは黄色になった時が、熟している時。だから、ふだん食べている色のきゅうりは、まだ熟す前のものなんだ。ほかにも、ナス、ピーマン、ゴーヤも、熟していないみを食べているよ。

熟すと、こんなふうに色がかわるよ。

ナス → 黄色になる

ピーマン → 赤くなる

ゴーヤ → 黄色になって、われる。赤いのはたね。

くわしくかんさつ！ みの中はどうなっているのかな

みを切って、中を見てみたよ。

いつも食べているのに、よく見たことはなかったなあ。

しきり
しきりがあって、3つのへやにわかれているよ。

たね
ふにゃふにゃしているけれど、熟すとたねになるよ。

へた
ここから、みにえいようが入ってきていたんだ。

内がわのうすいかわ
よく見ると、うすいかわがあるね。これが、たねのあるへやをまもっているよ。

とげ
しゅうかくして、あらうと、とげはほとんどとれてしまうよ。とげがあったところは、もりあがっているよ。

外がわのかたいかわ
みどり色のあついかわが、なかみをまもっているよ。

「黄色くなったみも、切ってみたよ！ 中には、たねがつまっていたよ。」

やってみよう
たねをとりだしてみよう

とりだしたたねを、水にひたすことで、めが出るかどうかがわかるよ。たしかめてみよう。

たねのとりだし方

1 スプーンでたねをすくいだす

2 ボウルに入れて水をはる

3 ゼリーをあらいながす

しずんだものが、めを出すたね

「つぎの春に、土を入れたポットにまいてみよう。右の3つをこころがければ、めが出るかも!?」

たねからめを出すには

- くらいところにおく
- 25〜30度のあたたかいところへ
- 水やりをする

キュウリ新聞をつくろう！

キュウリをそだててみてわかったことやかんじたことを、
グループで話し合って、かべ新聞にまとめてみよう。

新聞って、どんなもの？

ニュースやできごとをつたえるものだよ。かべにはった時に見やすいように、大きなもぞう紙に大きな字でかいてつくるよ。

トップ記事
一番つたえたいニュースがかいてあるよ。ニュースをかんたんにつたえる大きな見出しと、くわしくせつめいする文しょう、イラストや写真などをのせているよ。

小さな記事
新聞のテーマにかかわりのある、やくに立つことなどがかいてあるよ。

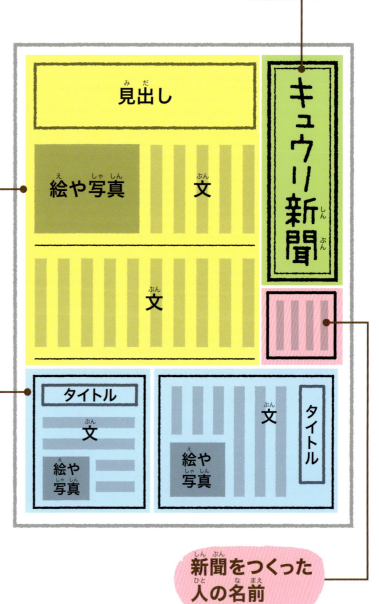

新聞の名前

新聞をつくった人の名前

3人から6人くらいのグループで、分たんしてつくってみよう！

新聞のつくり方

1 グループで話しあう

記事でどんなことをとりあげるか、まずはグループで話し合おう。だれがどの記事をかくか、やくわりをきめてもいいね。

話し合う時のちゅうい

- 話し合いをすすめる司会をきめてもいい。
- じゅうちょうやえんぴつをよういして、メモをとる。
- かんさつカードを見直して、いけんをまとめておく。

話し合いは、こんなふうにすすめてみて！

「わたしはしゅうかくをした時のうれしさをつたえたいな。」

そうだね

うんうん

「クラスぜんいん分合わせて、30本もしゅうかくできたね。」

いいね！

「トップ記事は、しゅうかくのことをとりあげよう。小さな記事は？」

おもしろそう！

「みんなの知らないキュウリのまめちしきをしょうかいしたいな。」

「そうしたら、トップ記事を◯◯くん、◯◯さん、小さな記事をぼくと◯◯さんがかこう！」

さんせーい!!!

2 見出しをきめる

見出しは新聞の中で一番目立つところのこと。記事のないようがわかって、さらに「読んでみたい！」と思ってもらえる見出しを考えてみよう。

キュウリをしゅうかくしたよ

わかりやすいけれど、もっと読む人をひきつけたいなあ。

↓

みんなで30本！キュウリをしゅうかくしたよ

「30本」と数字がかいてあると、たくさんとれたことが一目でわかるね。

3 記事の文しょうをかく

テーマにそって、記事の文をかこう。まずはじゆうちょうに下書きをする。かけたら、読んでみて、おかしなところがないかたしかめよう。そのあとに、グループのメンバーに読んでもらって、アドバイスをもらおう。

じゆうちょうにかいて…読んでもらおう！

とれたてのキュウリの味も入れたらどうかな？

わかった

4 清書する

新聞の形にまとめて、清書をするよ。イラストを大きくかいたり、色のついたペンを使ったりすると、見やすくておもしろい記事になるんだ。コーナーごとにべつの紙にかいて、はりあわせてもいいね。

えんぴつの下書きの上からペンでなぞるよ。

みんながどんな新聞をつくったか、見てみよう！

「みんなで30本！」という見出しが目に入って、つづきが読みたくなるなあ。

キュウリ新聞

山本みらい
黒木だいき
上田ちか
大木りょうた

みんなで30本！キュウリをしゅうかくしたよ

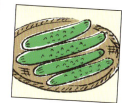

七月一日に、生活科のじゅぎょうでそだてていたキュウリをしゅうかくしました。キュウリは、どれも、わたしたちのせよりも高くのびていました。しゅうかくをする時は、はさみを使いました。くきがふといので、少しカを入れて、切りました。

クラスのみんなでしゅうかくしたキュウリを数えると、なんと、三十本もありました。家に帰ってから、かぞくみんなで食べると、しゃきっとしていて、とてもおいしかったです。

キュウリのミニちしき

キュウリはしゅうかくしないでそのままにすると、黄色くなります。黄色く大きくなったみの中には、たくさんのたねがありました。

キュウリのおいしいレシピ

しんせんなキュウリにぴったりのマヨネーズみそ。みそ大さじ1ぱいとマヨネーズ大さじ1ぱいをよくまぜて、切ったキュウリにつけるだけ。とてもかんたんです。

キュウリニュース

大石まことこ
吉田ふうか
多田ゆうと
青山ももこ

ふっかつ！吉田さんのキュウリ

五月十三日に、クラスのみんなでうえたキュウリ。でも、吉田さんのなえだけは、元気がなく、ほかのキュウリよりもなかなか成長しませんでした。それでも、かれたはっぱをつんだり、つちひをしたりして、キュウリのせわをつづけたそうです。

六月の終わりごろから、吉田さんのキュウリもぐんぐんのびるようになりました。そうして、ついに、長さ22センチメートルの大きなみをしゅうかくすることができました。

キュウリにやってくる虫ずかん

キュウリのはっぱを食べに、こんな虫たちがやってきました。

ウリハムシ　ウリキンウワバ

キュウリの元気がない時は……

びょうきになっていたり、虫に食べられていたりするかもしれません。よくかんさつしましょう。かれたはっぱは、ちぎってすてるようにして、朝と夕方に水をしっかりあげましょう。

吉田さんのキュウリだけをとりあげて、じっくりかかれていてわかりやすい！

病気になったなえでも、ちゃんとみができるんだね！

キュウリのまめちしき

キュウリはどこで生まれたの？

インドのヒマラヤ山脈という、高い山の上に、キュウリの祖先がいたと考えられているよ。ヒマラヤ山脈は、雨が多い。だからキュウリはたくさん水やりがひつようなんだね。

日本には、中国を通じてつたわったよ。

キュウリはいつごろから食べられるようになったの？

江戸時代には食べられていたよ。そのころは、熟した黄色いみを食べていたけれどすっぱくて人気がなかったんだ。みどり色のじょうたいでみを食べるようになってから、はごたえのよさで、人気が出たよ。

キュウリのだんめん　　あおいの紋様

切り口が徳川家の紋様ににているから、おそれ多いといって、昔の人はあまり食べなかったんだって。

キュウリのひょうめんには、もともとこながついていた

お店で売られているキュウリは、ひょうめんがつるつるピカピカのものが多いね。でも、もともとキュウリには、ブルームというこながついている。農薬だとかんちがいしていやがる人が多かったから、品種改良でブルームのないキュウリがつくられたよ。

白いものが、ブルームだ。ブルームはみがかわくのをふせぐよ。

いろいろな国で「つけもの」として食べられるキュウリ

シャキッとしておいしい、キュウリのつけもの。どの国でも、キュウリはつけものとして食べられることが多いんだ。日本では、ぬかづけやあさづけ。韓国では、オイキムチ。ヨーロッパでは、ピクルスとして食べられているんだ。

ぬかづけ

オイキムチ

ピクルス

カボチャのなえを組み合わせたなえがある

キュウリは病気になりやすいので、カボチャのなえのねのぶぶんと組み合わせた、じょうぶな「接木苗」もつくられているよ。学校でくばられたなえは、接木苗かもしれないよ。

クリップではさんでつくるんだって。

さいばい・かんさつ おたすけ資料

かんさつカード のかき方をマスターしよう

キュウリをそだてている間、かんさつしたことをわすれないように、気がついたことや思ったことを、しっかりかきとめよう。

1 まずはじっくりかんさつ

目で見るだけではなく、はな、手もつかってかんさつしよう。ぜんたいを見わたしたり、近づいて細かいところまで見てみたりしてもいいね。かんじたこと、気づいたことは、すぐにメモをとろう。

あっ　トゲだ！

2 かんさつイラストをかこう

かんさつして、きみがちゅうもくしたことはなにかな。たとえば、みのようすをつたえたい時は、みを大きくかいたほうがいいね。つたえたいことによって、どんな絵にするか考えてみよう。

3 かんさつ文をかこう

見たりさわったりしてわかったことなど、かんさつしたぶぶんのようすをくわしくかこう。自分のかんそうや考えをつけたすといいよ。

みんなのかんさつカードを見てみよう！

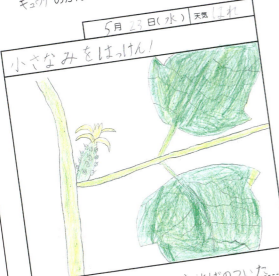

キュウリのかんさつ

5月23日(水) 天気 はれ

小さなみをはっけん！

キュウリのかんさつをしていたら、とげのついた
ふしぎなものがありました。先生に聞いてみると、
それはキュウリのみだよと教えてもらいました。
とげは水のつぶみたいできれいでした。
大きくなるのが楽しみです。

「赤ちゃんキュウリの
とげのきれいさを、
たとえてみたよ。」

「絵に文字を入れて、
わかりやすくしたよ。」

キュウリのかんさつ

6月18日(月) 天気 くもり

みをしゅうかく！

↙しずく

みが20センチメートルくらいの長さになったので、
しゅうかくしたくきをはさみで切って、切ったところ
をよく見たら、しずくがたれていた。
きゅうりの中には、たくさん水があるんだな
あ。と思った。

キュウリのかんさつ

7月3日(火) 天気 はれ

ぐんぐん のびる キュウリ

みをしゅうかくしたあとも、キュウリのせがのびて、
せのびしてもとどかないくらいの高さになりました。
一番先にはまきつくところをさがして、まきひげが
のびていました。まだまだ たくさん みができそう
なので、うれしいです。

「せのびしてもとどかない
ことを入れて、キュウリの
高さがわかるようにしたよ。」

「それぞれくふうを
していて、わかりやすく
かけているね！」

さいばい・かんさつ おたすけ資料

キュウリさいばいトラブル
虫や鳥に食べられた！

キュウリのはっぱやみに小さなあながあるのを、見つけたかな。
これは、虫が食べたあとなんだ。
キュウリには、どんな虫や鳥が来るのかな。

はんにんは……
アブラムシ!!

はっぱのうらや、花、みに黒いものがついている

アブラムシは、ほうっておくと、たくさんふえて、キュウリを弱らせてしまうよ。テントウムシは、アブラムシを食べてくれるから、つかまえてきて、キュウリにはなしてみよう。

わー！おいしそう！

はんにんは……
ハダニ!!

はっぱのひょうめんが白くなる

白くなったところがかれる

目をこらさないと見えないくらい、とても小さい虫だよ。手でつかまえるのはむずかしいから、ガムテープなどをつかって、はりつけてとるといいんだ。

ゆびにまいて、はっぱのひょうめんにつけると、虫がとれるよ。

はっぱに丸いあとや、小さいあながある

はんにんは……
ウリハムシ‼

はっぱに丸いあとをつけてから、その丸いあとの内がわを食べる、かわった虫だよ。はっぱだけでなく、みを食べることもあるから、見つけたら、おいはらおう。

はっぱがしおれている

はっぱにあながあいている

はんにんは……
ウリキンウワバやハスモンヨトウのよう虫‼

ハスモンヨトウ

ウリキンウワバ

はっぱに生みつけられたたまごから、よう虫が生まれて、はっぱを食べるよ。そのままにしておくと、どんどんはっぱを食べてしまうので、つかまえて、にがそう。

みについたあとがある

はんにんは……
カラス‼

カラス

キュウリには、たくさん水分がふくまれているから、のどがかわいたカラスがやってきて、食べてしまうこともあるよ。ネットをかけて、食べられないようにしよう。

35

さいばい・かんさつ おたすけ資料

キュウリ さいばいトラブル
病気になった・うまくそだたない

まい日水をあげて、きちんとせわをしているのに、はっぱがしおれてきたり、まだらもようになったり……。げんいんは、病気かもしれないよ。

げんいんは……うどんこ病‼

はっぱに白い水たまもようができる

これはカビのなかまだよ。はっぱを切ってすてて、広がらないようにしよう。じめじめしているとなりやすいから、水のやりすぎなどにちゅうい。できたみは、食べられるよ。

ほうっておくと、こうなるよ！

はっぱやみに黄色のまだらもようができる

げんいんは……モザイク病‼

アブラムシなどの虫が、モザイク病のもとをはこんでくるんだ。だから、虫がいないか、まずたしかめよう。できたみは、少し味がおちるけれど、食べられるよ。

げんいんは……キュウリつるがれ病‼

くきやはっぱごとかれてしまう

同じ土で、なんどもキュウリをつくると、なりやすい病気だよ。水やりの時や雨の日に、土がはねてキュウリにつくと、なりやすいよ。水やりの時には、気をつけよう。

丸まったはっぱがはえてくる

げんいんは……えいようのかたよりや、天気‼

天気がわるかったり、土の中のカルシウムがへったりすると、なりやすいよ。追肥をする時に、ちっそという成分が少ない肥料をつかうといいんだ。

みが黄色くなって、かれてしまった

げんいんは……いろいろ‼

天気がよくなかったり、えいようがかたよっていたり、いくつかげんいんがある。赤ちゃんキュウリが、ぜんぶみどり色のキュウリにそだつことはむずかしいんだ。

がんばってそだてつづければ、大きなみどり色のみも、なるよ‼

みがまがってしまった

げんいんは……いろいろ‼

えいようや水が足りない、天気がわるいなどが、げんいんだ。自分たちでそだてると、お店で買うのとはちがって、まがったみができることが多いけれど、食べられるよ。

ほかにも、こんなおもしろい形のみがなったよ。

まがっていても、味はいっしょだよ‼

さいばい・かんさつ おたすけ資料

キュウリさいばい Q&A

キュウリをそだてている時に、みんながぎもんに思うことや、もっとじょうずにせわをするための方法をくわしくしょうかいするよ。

Q キュウリは、どれくらい水をあげればいいの？

A みずみずしくておいしい、キュウリのみ。このみが大きくなるには、たくさんの水がひつようなんだ。まい朝10時ごろまでに1回、夕方にも土のようすをたしかめてもう1回、水をやろう。じつはキュウリは、夜に成長しているんだ。だから、夕方に水をやると、ぐんぐんのびていくんだよ。

やりすぎにちゅうい！

Q キュウリのプランターは、どこにおくといいの？

A プランターは日当たりのいいところにおくようにしよう。1日のうちで、日かげになる時間が長いばしょにおくと、くきがひょろひょろとのびて、つぼみやみがつきにくくなるよ。また、キュウリはじめじめしていると病気になりやすいから、プランターは、風通しがいいところにおこう。

日当たりのよいところに！

Q 肥料って、なぜやるの？ どのくらいやるといいの？

A なえをうえる時に、ばいよう土やふよう土という土をつかったね。その中に入っている肥料は、やさいが成長するために必要なえいようだよ。キュウリが成長するにつれて、土の中の肥料はへっていく。だから、みができた時に、追肥をはじめるんだ。追肥は、せつめい書にかいてあるりょうを2週間ごとにやると、みがよくそだつよ。

みができたら2週間ごとに！

38

さくいん

※見開きの左右両方のページに同じことばが出てくる場合は、左のページばんごうを入れています。

> キュウリをそだてていて、気になったものやことを、さくいんからひいてみよう。

あ
- アブラムシ ……………………… 34、36
- うどんこ病 ………………………… 36
- ウリキンウワバ ………………… 29、35
- ウリハムシ ……………………… 29、35
- えいよう ……………… 15、19、21、37、38
- おしべ ……………………………… 17
- おばな …………………………… 15、17

か
- がく ……………………………… 15、17
- 風通し …………………………… 19、38
- 花ふん ……………………………… 17
- カボチャ …………………………… 31
- カラス ……………………………… 35
- かんさつカード ………………… 7、27、32
- キュウリ新聞 ……………………… 26
- キュウリつるがれ病 ………………… 36
- くき ………… 6、8、10、13、21、29、36、38
- ゴーヤ ……………………………… 23
- こな ……………………………… 5、31

さ
- 支柱 …………………………… 6、12、18
- しゅうかく ………………… 20、22、27、29
- 熟す（熟した） ………………… 23、24、30
- 子葉 ………………………………… 8
- スコップ ………………………… 6、10

た
- たね ………………… 8、17、21、23、24、29
- ちっそ …………………………… 37
- 追肥（ついひ） ………………… 15、29、37、38
- 土 ………………… 6、10、13、15、25、36、38
- 接木苗 ……………………………… 31
- つぼみ ………………………… 14、16、38
- つる ……………………………… 12、19
- テントウムシ ……………………… 34
- とげ …………………………… 5、20、22、24

- トマト ……………………………… 23
- 鳥 ………………………………… 34

な
- なえ …………………… 5、6、8、10、31
- ナス ………………………………… 23
- ね …………………………… 10、13、31

は
- ばいきん …………………………… 21
- ばいよう土 …………………… 6、10、38
- はさみ …………………………… 21、29
- ハスモンヨトウ …………………… 35
- ハダニ ……………………………… 34
- はっぱ ……………… 6、8、19、34、36
- 花 …………………… 14、16、18、20、34
- 花びら …………………………… 15、17
- はりがね ………………………… 6、13
- 日当たり ………………………… 38
- ピーマン …………………………… 23
- 病気 …………………… 19、29、31、36、38
- 肥料 ………………………… 6、15、37、38
- ふよう土 ……………………… 6、10、38
- プランター ……………… 5、6、10、19、38
- ブルーム …………………………… 31
- へた ………………………………… 24
- ペットボトルじょうろ ……………… 6
- ポット …………………………… 10、25

ま
- み …… 4、14、17、18、20、22、24、29、30、31、34、36、38
- 水 …………………… 11、15、29、36、38
- 虫 ……………………………… 7、17、34
- め ……………………………… 6、17、25
- めしべ ……………………………… 17
- めばな …………………………… 15、16
- モザイク病 ……………………… 36

監修

青山由紀（あおやま ゆき）

筑波大学附属小学校教諭。筑波大学非常勤講師。光村図書・小学校「国語」教科書、「書写」教科書編集委員。日本国語教育学会常任理事。主な著書に、『話すことが好きになる子どもを育てる』（東洋館出版社）、『こくごの図鑑』（小学館）、『おぼえる！ 学べる！ たのしい四字熟語』（高橋書店）、『楽しみながら国語力アップ！ マンガ 漢字・熟語の使い分け』（ナツメ社）などがある。

鷲見辰美（すみ たつみ）

筑波大学附属小学校教諭。日本初等理科教育研究会副理事長、文部科学省教育映像等の審査学識経験者委員。学校図書・小学校「理科」教科書編集委員。日本テレビ「世界一受けたい授業」に出演。朝日新聞2010年4月「花まる先生」に掲載。主な著書に『小学校理科授業ネタ事典』（明治図書）、『筑波発「わかった！」をめざす理科授業』（東洋館出版社）などがある。

撮影●上林徳寛
絵●山中正大
装丁・本文デザイン●周 玉慧
校正●株式会社 夢の本棚社
編集●株式会社 童夢
協力●筑波大学附属小学校2部1年、2部2年のみなさん
写真提供●こうち農業ネット／JA越前丹生／
HP埼玉の農作物病害虫写真集／ピクスタ

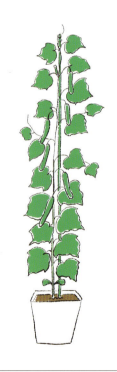

学校でそだててかんさつ 夏やさい
キュウリをつくろう！

2018年4月初版　2023年5月第3刷

監修　青山由紀／鷲見辰美
発行者　岡本光晴
発行所　株式会社あかね書房
〒101-0065 東京都千代田区西神田3-2-1
電話 03-3263-0641（営業）　03-3263-0644（編集）
https://www.akaneshobo.co.jp
印刷所　吉原印刷株式会社
製本所　株式会社難波製本

ISBN978-4-251-09227-4 C8361
©DOMU 2018 Printed in Japan
落丁本・乱丁本はおとりかえいたします。
定価はカバーに表示してあります。
すべての記事の無断転載およびインターネットでの無断使用を禁じます。

```
NDC620
監修　青山由紀(あおやま　ゆき)／
　　　鷲見辰美(すみ　たつみ)
学校で　そだてて　かんさつ　夏やさい
キュウリをつくろう！
あかね書房　2018　40P　27㎝×22㎝
```

筑波大学附属小学校教諭
青山由紀／鷲見辰美 監修
山中正大 絵

全3巻

🍅 ミニトマトをつくろう！

丸くて赤い、ミニトマトの育て方を紹介。ミニトマトの観察カードをもとにした、観察絵本づくりについても解説する1冊。

🥒 キュウリをつくろう！

ぐんぐんのびる、つる性植物キュウリの育て方を紹介。キュウリ栽培について説明する新聞づくりについても解説する1冊。

🫘 エダマメをつくろう！

緑の豆がおいしいエダマメの育て方を紹介。エダマメ栽培をテーマとして、班で話し合う方法についても解説する1冊。